Conception :
Christophe Hublet

Texte :
Émilie Beaumont

Images :
Christel Desmoinaux

FLEURUS

GROUPE FLEURUS, 15-27 rue Moussorgski, 75018 PARIS
www.editionsfleurus.com

L'éléphant

C'est le plus gros de tous les animaux terrestres. Il est impressionnant avec ses pattes énormes, ses grandes oreilles, ses défenses et sa longue trompe qui lui sert de bras et de mains. Il vit très vieux et ne cesse de grandir tout au long de sa vie.

C'est un gros mangeur. Il se nourrit d'herbes et de jeunes pousses d'arbres.

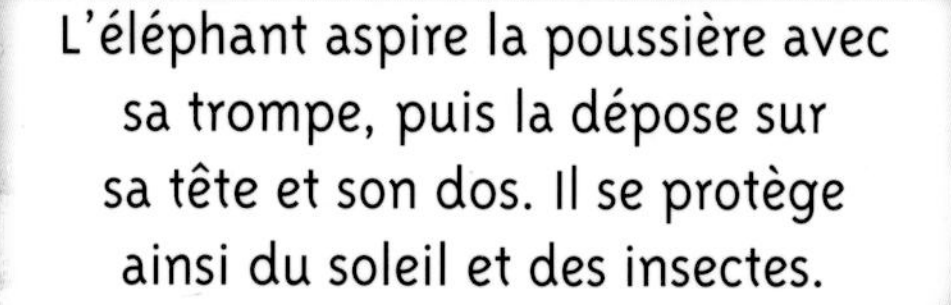

L'éléphant aspire la poussière avec sa trompe, puis la dépose sur sa tête et son dos. Il se protège ainsi du soleil et des insectes.

Il aime le sel et le recherche dans le sol avec ses défenses. Ce sont les éléphants les plus âgés qui montrent aux plus jeunes où le trouver.

L'éléphant adore l'heure de la douche.

Dans le troupeau, les petits sont protégés par leur mère, mais aussi par d'autres femelles, prêtes à intervenir en cas de danger.

La girafe

C'est l'animal le plus haut de la terre. Le mâle est plus grand que la femelle. Les dessins de la robe sont différents pour chaque girafe. Elle vit en troupeau et se nourrit surtout de feuilles d'arbres.

Quand les mâles se battent pour une femelle, ils se donnent de violents coups de tête.

Pour attraper les feuilles des arbres, elle s'aide de sa langue, très longue. Si longue que la girafe la plie pour la mettre tout entière dans sa bouche.

Maman girafe ne se couche pas lorsqu'elle donne naissance à son petit. Il fait une chute la tête la première et essaie vite de se relever.

Après s'être assurée qu'aucun lion et aucun crocodile ne rôdent près de la rivière, la girafe écarte ses pattes et baisse lentement son cou pour boire.

Malgré leur grande taille, les girafes courent vite. Quand elles marchent, elles sont amusantes, car elles balancent leur long cou d'avant en arrière.

Le lion

C'est le roi des animaux. Il n'a pas d'ennemis. C'est un redoutable chasseur, il ne mange que de la viande. Mais c'est un grand paresseux. Il s'endort souvent à l'ombre dans les arbres. Les lions vivent en groupes avec des lionnes et leurs petits.

Les lionceaux sont très joueurs : papa a plus de mal à les supporter que maman.

La lionne change de cachette. Elle transporte ses petits dans sa gueule, un par un, en les serrant doucement au niveau de leurs épaules.

Les lionceaux sont élevés par leur mère. Mais si elle s'absente, elle confie ses petits à une autre lionne, qu'ils pourront téter s'ils ont faim.

Le lion a une crinière autour de la tête qui lui donne un air majestueux. Il pousse souvent de forts rugissements pour signaler aux autres lions de ne pas venir sur son territoire.

C'est la lionne qui apprend aux lionceaux à chasser : comment ils doivent se cacher dans les herbes et attaquer leur proie par surprise.

L'hippopotame

C'est un gros animal, court sur pattes, à la peau très épaisse. Il vit en groupe près des rivières et des lacs. Il a besoin d'eau, car sa peau ne supporte pas le soleil. S'il vient à en manquer, il peut mourir. Le mâle dépose des crottes partout pour bien montrer aux autres hippopotames où il habite.

Le mâle le plus fort ouvre grand sa gueule, montrant ses dents redoutables, pour inciter les autres à ne pas le déranger.

C'est la nuit que l'hippopotame se nourrit. Quand le soleil se couche, car il craint la chaleur, il sort de sa rivière et va brouter l'herbe.

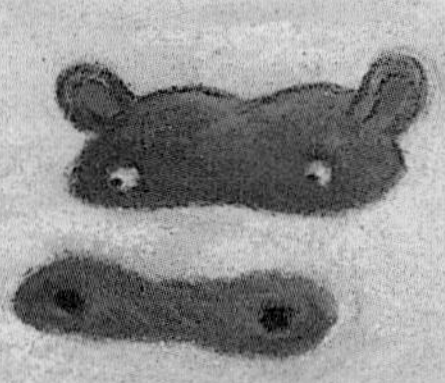

L'hippopotame ne laisse dépasser de l'eau que ses oreilles et ses yeux. Il peut ainsi surveiller les alentours tout en prenant son bain.

Maman hippopotame passe sa journée dans l'eau avec son petit, qui apprend à nager dès sa naissance. Si un crocodile s'approche, le gros bébé monte vite sur le dos de sa mère.

Le rhinocéros

C'est un des plus gros animaux après l'éléphant. Il est court sur pattes, mais il est capable de se déplacer très vite quand il se met en colère parce qu'il a entendu un drôle de bruit ou qu'une odeur inhabituelle lui chatouille les narines.

Le rhinocéros se nourrit surtout de plantes et d'arbustes.

Il n'a pas de poils, sauf au bout de sa queue.

Bébé rhinocéros tète sa mère.

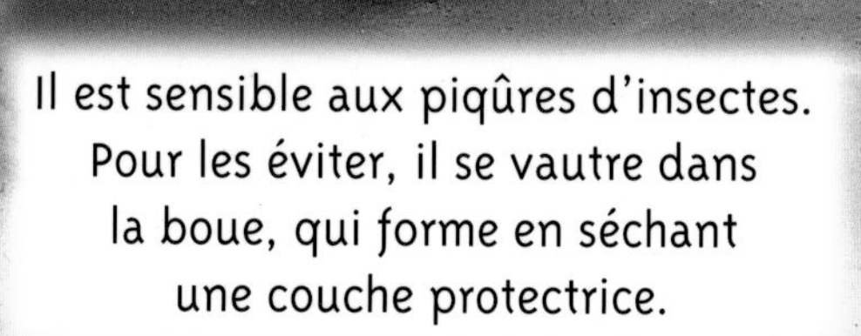

Il est sensible aux piqûres d'insectes.
Pour les éviter, il se vautre dans
la boue, qui forme en séchant
une couche protectrice.

Quand le rhinocéros est en colère,
il fonce droit devant lui. Comme il ne
voit pas très bien, il lui arrive de
rentrer tête baissée dans un arbre.

Il y a souvent des oiseaux
sur le rhinocéros. Ils le
débarrassent des insectes
gênants et lui signalent
la venue d'un ennemi
quand il dort.

Au moment des amours, la femelle ne se laisse
pas facilement approcher par le mâle. Elle n'hésite
pas à donner des coups de cornes à son fiancé !

Le zèbre

Il ressemble à un petit cheval avec des rayures noires et blanches. Chaque zèbre a des rayures différentes. Il vit en troupeau avec d'autres animaux comme les gnous et les gazelles. Il se nourrit surtout d'herbe.

Des gnous

Dès la naissance de son petit, maman zèbre l'oblige à se lever et à vite venir trotter près d'elle pour le protéger des méchantes hyènes.

Quand les zèbres vont boire à la rivière, ils doivent se méfier des lions, car c'est souvent ce moment-là qu'ils choisissent pour les attaquer.

Le zèbre relève sa lèvre pour mieux sentir. On dit qu'il fait la moue. En général, il réagit ainsi quand il sent l'odeur d'une femelle.

Les mâles se bagarrent souvent entre eux. Ils se dressent l'un contre l'autre et se donnent des coups de dents et de sabots.

L'hyène

C'est un redoutable chasseur à l'allure étrange. Plutôt laide avec ses fesses rabaissées, elle a le pelage tacheté ou rayé. Elle vit en groupe dirigé par une femelle. Les mâles, plus petits, n'ont pas la parole !

Quand elles dévorent leur nourriture, les hyènes font beaucoup de bruit avec leur bouche.

L'hyène intimide le lion et l'oblige souvent à lui abandonner le reste de son festin.

Cette hyène change son bébé de terrier. Le petit naît tout noir. En quelques semaines, son pelage s'éclaircit et les taches apparaissent.

L'hyène fait des réserves. Si elle a trop de nourriture, elle en cache dans la boue. Quand elle a un petit creux, elle se sert. C'est pratique !

La mâchoire de l'hyène est très puissante et ses dents déchirent sans problème les peaux les plus épaisses et broient les os les plus durs.

Les hyènes attaquent à plusieurs une grosse proie. Elles la mordent au ventre et aux pattes jusqu'à ce que la pauvre bête tombe épuisée.

Le crocodile

On dirait un énorme lézard. Son corps est recouvert de grosses écailles. Il est plutôt paresseux. Il ne bouge pas beaucoup, mais c'est un tueur, avec sa grande mâchoire et ses dents pointues comme des poignards.

Le crocodile existait déjà au temps des dinosaures, il y a des millions et des millions d'années.

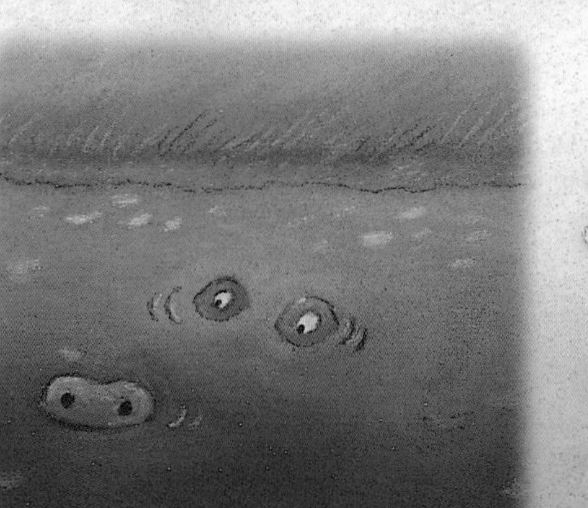

Le crocodile passe beaucoup de temps immobile dans l'eau, ne laissant apparaître que ses yeux et ses narines. Il attend sa proie !

Si une gazelle est en train de boire, il s'approche sans bruit et, comme une flèche, sort de l'eau, la gueule grande ouverte, l'attrape et la noie.

Maman crocodile dépose ses œufs au fond d'une sorte de puits qu'elle recouvre d'herbe et de sable, et reste auprès d'eux. Quand les bébés sont prêts à sortir, ils grognent pour que maman les aide à quitter leur coquille.

Dès leur naissance, maman emporte ses bébés dans sa gueule jusqu'à la rivière, où ils se mettent tout de suite à nager. Ils grandissent vite.

D'autres animaux

Dans la savane, il y a aussi de nombreuses gazelles, des singes, de gros oiseaux, comme les vautours, qui planent dans le ciel dès qu'un lion ou des hyènes ont attrapé une proie.

Les gazelles-girafes, au long cou, se dressent sur leurs pattes arrière pour attraper des feuilles d'arbre.

Si un lion s'approche des gazelles, elles se mettent à courir à toute vitesse en faisant de grands bonds.

Ce singe, un babouin, se nourrit
surtout de plantes. Mais il s'attaque
aussi aux jeunes gazelles et parfois
chipe des proies au lion !

Le phacochère ressemble à un cochon
sauvage avec des défenses. Mais
sa tête est plus large. Il se nourrit
de plantes et de petites bêtes.

Pendant la saison sèche,
la terre est craquelée et
l'herbe est toute jaune. Quand
les pluies arrivent, l'herbe
verdit rapidement pour
le grand bonheur de tous les
animaux, qui s'en nourrissent,
comme les gazelles.

Le vautour est un grand oiseau reconnaissable
à son long cou dépourvu de plumes. Il nettoie
les carcasses laissées par les lions.

le monde des imageries
L'imagerie des bébés
La ferme
Dès 1 an
L'imagerie des tout-petits
La ferme
Des livres qui gran
Découvre tes pr
La nouvelle imagerie des enfants
L'imagerie de l'éveil
L'imagerie pour la grande école
L'imagerie de la lecture
NIVEAU 1
no
le
tu
la poule
le piano
la tortue
L'imagerie de la lecture
NIVEAU 2
La petite lapine tire la tulipe.
L'imagerie du corps humain
Plus de 13 millions d'imagerie
L'imagerie de la ferme
L'imagerie des loisirs
L'imagerie de la montagne
L'imagerie de la ville
L'imagerie des enfants du monde
L'imagerie des dinosaures et de la préhistoire
Les imageries, c'est plein d'images,
L'imagerie des records d'animaux
L'imagerie des inventions
L'imagerie des petits gourmands
L'imagerie de l'histoire
L'imagerie des Arts
L'imagerie de Noël
128 pages - couverture mousse